Cette histoire est inspirée
d'une légende du Pays basque
et d'un conte traditionnel d'Asie.

© 2022, Éditions L'Agrume, Sejer
ISBN : 978-2-490975-12-9
Dépôt légal : janvier 2022
Conception graphique : Pia Philippe
Imprimé en Italie
Typographie : Fugue

L'Agrume
92, avenue de France – 75013 Paris
www.editionslagrume.fr

Loi Nº 49-956 du 16 juillet 1949
sur les publications destinées
à la jeunesse.

FSC
www.fsc.org
MIXTE
Papier issu
de sources
responsables
FSC® C022030

LE GRAIN DE SABLE

Sylvain Alzial & Benoît Tardif

L'AGRUME

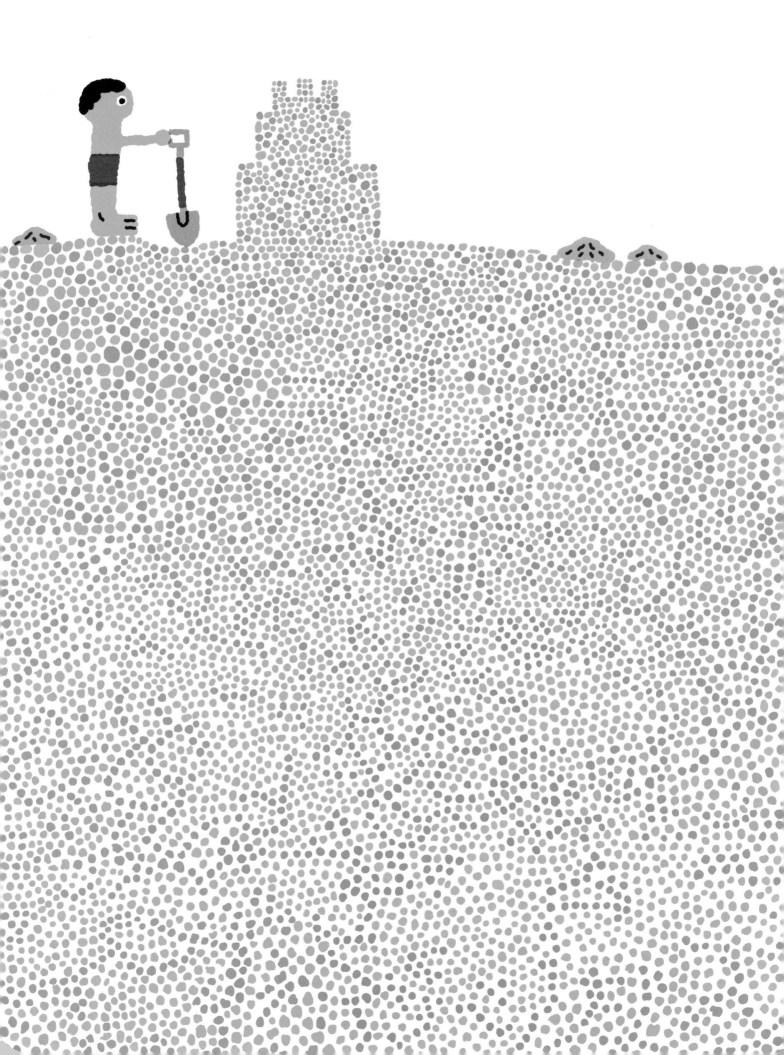

Voici l'histoire d'un grain de sable,
un mini grain de sable.

Celui-ci avait l'air pensif, avec sa mine soucieuse et son regard inquiet. Apparemment quelque chose ne tournait pas rond chez ce tout petit grain de sable.

Toute la journée, il regardait du coin
de l'œil ses semblables avec un certain
dédain et il répétait en boucle :

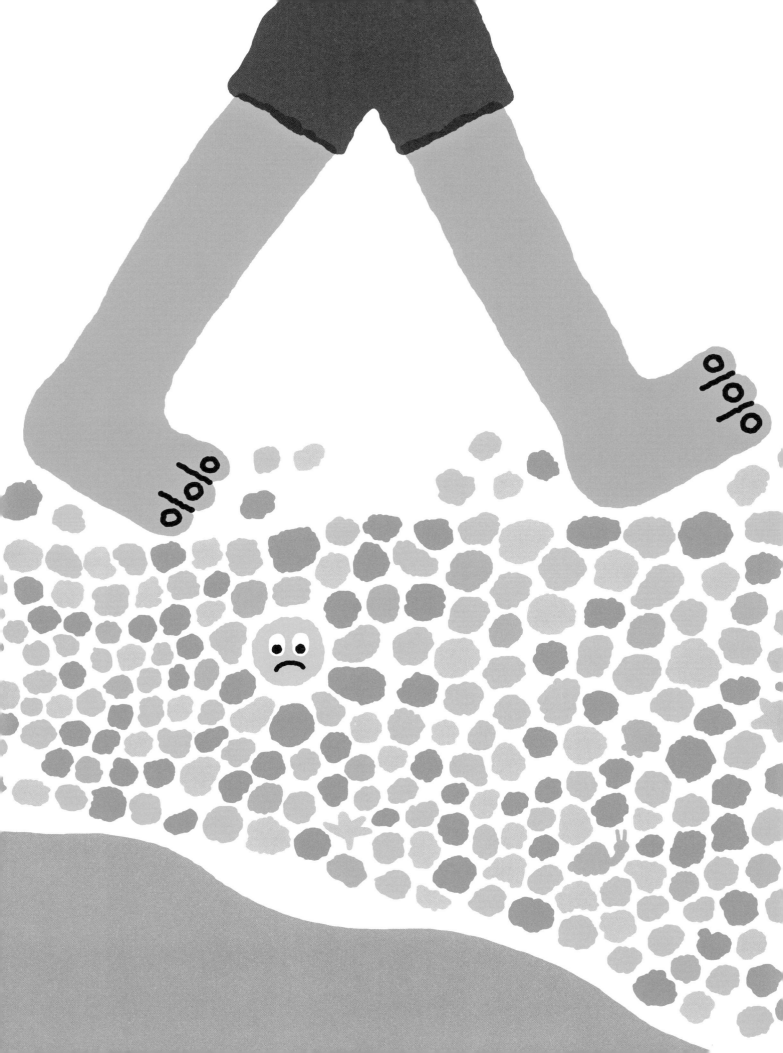

« J'en ai assez d'être un grain de sable,
sans cesse ballotté par les vagues
ou emporté par le vent, chahuté par
les seaux et les pelles des enfants. »

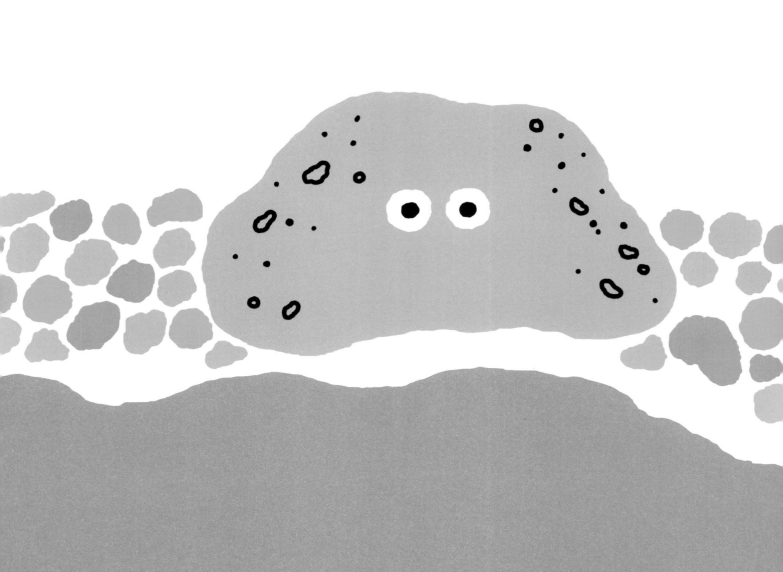

Alors qu'il ruminait ainsi sa dure
condition, il aperçut un peu plus
loin un gros et paisible caillou posé
au bord de l'eau.
« Quel beau caillou ! pensa le grain.
Quelle allure ! Quelle classe !
J'aimerais bien être à sa place ! »

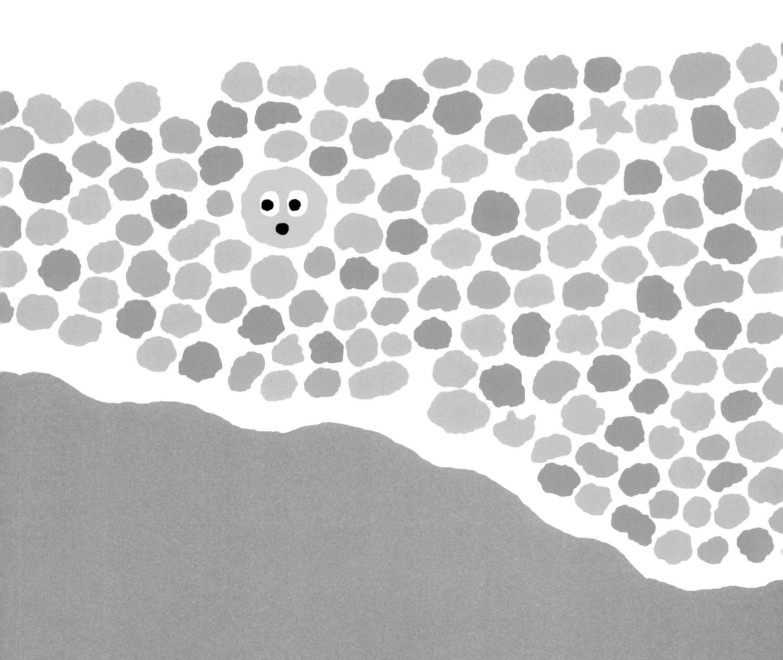

Et à peine eut-il formulé son souhait que le grain de sable se transforma en caillou !

Alors une nouvelle vie commença
pour lui. Très vite, il se lia d'amitié
avec des galets et des caillasses,
discuta longuement avec les mouettes
et les crabes, joua à cache-cache
avec des poulpes ou des bigorneaux.
Il s'amusa ainsi un certain temps...

Jusqu'au jour où le caillou trouva
sa vie un peu monotone et il s'ennuya.
« Cet énorme volcan a de la chance,
murmura le caillou, en regardant
au loin. Lui, au moins, il a du panache
et du caractère ! Comme j'aimerais
être un volcan ! »

Et à peine eut-il formulé son souhait que le caillou se transforma en volcan !

Alors une nouvelle vie commença
pour lui. L'impétueux volcan offrit
au monde un spectacle grandiose,
multipliant les prouesses de gaz
et de fumées, dégoulinant de lave
et de rivières rougeoyantes.

Mais au bout de quelques années,
le volcan cessa naturellement
de gronder et il s'ennuya beaucoup.
Dépité, il s'apprêtait à s'endormir
lorsqu'il fut soudainement ébloui
par la lumière du soleil.
« Mes éruptions ne durent qu'un
temps, grommela le volcan, comme
j'aimerais briller tel l'astre solaire ! »

Et à peine eut-il formulé
son souhait que le volcan
se transforma en soleil !

Alors une nouvelle vie commença
pour lui.
« Adieu grain de sable, caillou, volcan !
Me voilà désormais au sommet »,
s'écria le soleil en riant de bon cœur.
Fort de sa nouvelle haute stature,
le soleil rayonna comme jamais,
entouré de toutes les petites planètes
qui le regardaient avec admiration.

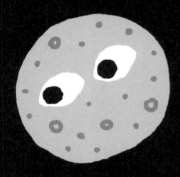

Pourtant, après avoir brillé de mille feux durant une année, le soleil eut une drôle de surprise un matin en se levant : un petit nuage, qui passait dans les parages, s'arrêta juste devant lui et le ciel s'assombrit. Les rayons ébouriffés, le teint pâlot, le soleil observa cet étonnant petit nuage qui lui faisait de l'ombre ! Très jaloux, il envia le terrible pouvoir de ce cumulus et désira secrètement lui ressembler.

Et à peine eut-il formulé son souhait que le soleil se transforma en nuage !

Alors une nouvelle vie commença pour
lui. Ici à faire tomber la pluie, là virevoltant
au beau milieu des huppes, ici déguisé
en mouton, là caché parmi les cerfs-volants.
Léger et mobile, il enchanta le peuple
des nuages de ses prouesses acrobatiques.

Lorsqu'un jour, rêvassant sur un
coussin d'air, il fut soulevé par
une force invisible qui le propulsa
tout en haut du ciel.
«Quelle puissance! s'émut le nuage,
comme j'aimerais être le vent!»

Et à peine eut-il formulé
son souhait que le nuage
devint le vent !

Alors une nouvelle vie commença
pour lui. Muni de ses nouvelles
armes, il expira très fort dans toutes
les directions et déclencha moult
typhons, bourrasques et ouragans
qui effrayèrent toutes les créatures
de la terre.

Tout cela dura le temps d'une saison,
puis le vent retomba peu à peu
et s'épuisa enfin…
Aussi, il jeta un coup d'œil sur
l'océan qui se déployait un peu plus
bas, et rêva à présent d'horizons
lointains, de vagues et d'embruns,
de fraîcheur et de profondeur.

Et à peine eut-il formulé
son souhait que le vent
se transforma en océan !

Alors une nouvelle vie commença
pour lui. Ivre de grandeur, son chant
marin résonna jusqu'aux confins
de l'univers et le vaste océan vécut
ainsi pendant de longues années,
s'épanchant noblement entre
les continents.

Mais tandis qu'il se prélassait près
d'une plage par une belle fin de
journée, l'océan aperçut un enfant
qui jouait avec une pelle et un râteau.

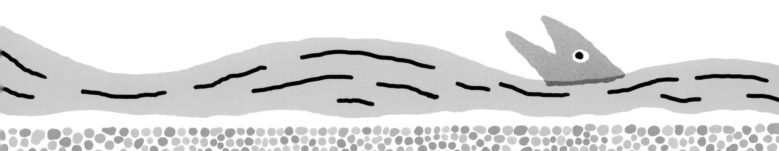

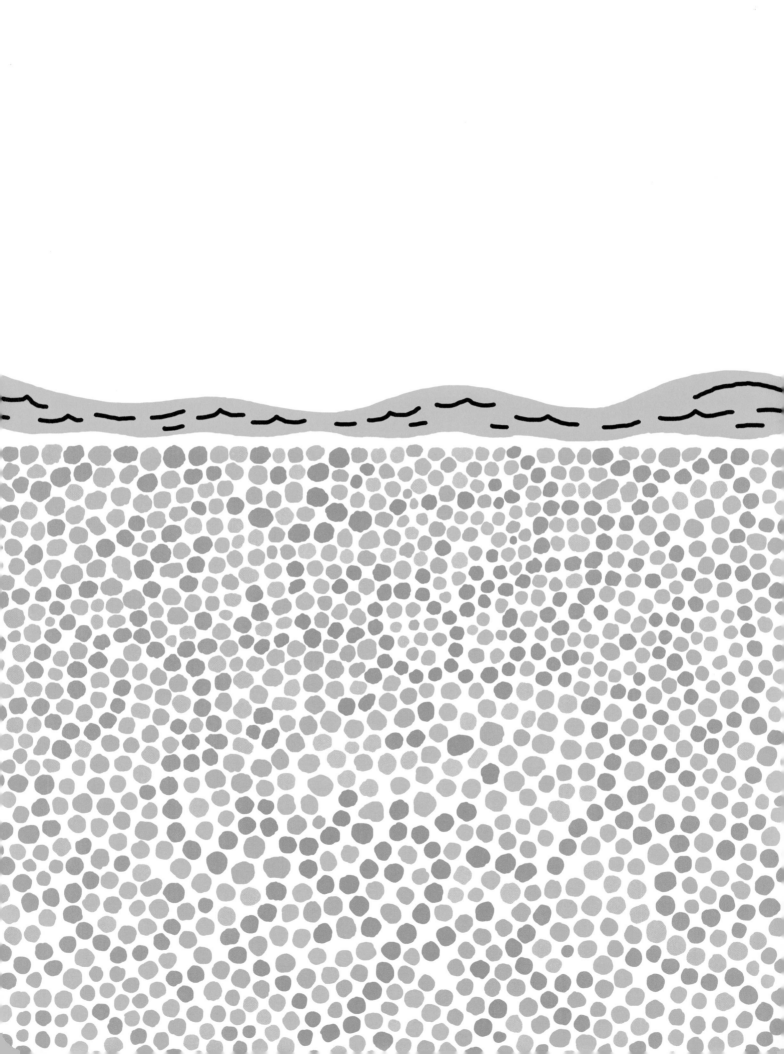

En s'approchant un peu plus près du rivage, il admira un magnifique château de sable. « Extraordinaire, barbota la mer, mais comment cet enfant a-t-il pu construire ce beau château ? »

Alors l'océan posa son regard
sur l'un de ces grains de sable,
un tout petit grain de sable,
et pensa...

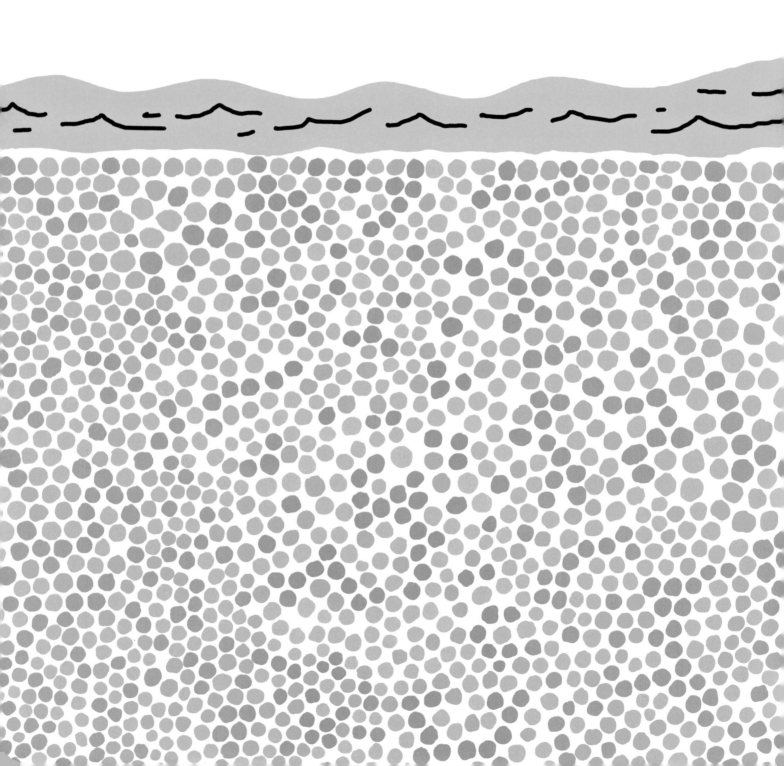